CW00553092

La pudeur du clown

Nathalie Couderc

La pudeur du clown

Recueil

LE LYS BLEU
ÉDITIONS

ISBN : 979-10-377-5682-4

À mon grand-père, poète que je n'ai connu qu'au fil de ses propres vers ;

À mes amis « Vikings » qui m'ont tellement soutenue et encouragée ;

À ma sœur chérie et à mes « sœurs-choisies », votre tendresse est un pilier solide ;

À mon amoureux parti vers les étoiles avant de découvrir ce recueil. Il l'a voulu presque plus que moi (au début) et en a accompagné la création. Il aimait tant se promener dans mes écrits.

Promenade

Crépuscule

Au crépuscule
Une immense bulle
Rouge, orange
Ardente, étrange,
Descend derrière les maisons
Couvre d'or et de pourpre la moisson.
Ses rayons se font tendres
Quand, doucement, ils effleurent la lande.
J'aime tant me promener
À cette heure de la journée.

Voyageur de l'univers

Avancer le cœur ouvert
Et accepter de l'univers
L'instant inconnu,
La seconde impromptue.

S'ouvrir aux découvertes,
Ne pas suivre la lettre,
Accepter la déconvenue
Et, la nuit venue,
Regarder les étoiles
En repliant sa voile.

Avancer les yeux ouverts
Et redonner à l'univers
Le rire de l'instant reçu,
La douceur de la main tendue.

La Loire

À l’orée du soir,
Va saluer la Loire.
Elle étire, paresseuse,
Son onde lumineuse
Gorgée de merveilles,
D’ors et de soleil.

Les bruits qui l’accompagnent,
De mer ou de campagne,
S’estompent doucement.
Offre ton bras d’amant
Aux soies émerveillées
De la douce épousée
À ton cœur, accrochée.

Fleuve des rois,
Profondeur qui fait loi,
La Loire saura guider
Ton rêve tout éveillé.

Cathédrale d'automne

Dans la lumière dorée
D'un matin d'automne
Où mes pas, de feuilles, étouffés,
Sur les dalles résonnent,
Je viens te confier,
Ô Nature ou Dieu,
Mes doutes et leurs fantômes,
Mes joies de cœur heureux.

Tu les aimes et les reçois à l'infini.
Mes doutes, tu les effaces
Mes joies, tu les grandis.
Ma douleur, devant Ta face,
Tient peu avant l'oubli.
Ma joie que tu embrasses
Sauve mon âme et conduira ma vie.

Au crépuscule

Ô mon tendre aimé, si loin de moi séparé,
mon cœur se met au crépuscule
qui rosit la nuée.
C'est le moment où tout bascule…

Rêvons de nous promener.

Chuuuut…

Le cèdre oubliera de craquer
Le séquoia ne bronchera pas
L'oiseau n'osera plus s'envoler
L'herbe, vernie de givre, crissera…

Avant que la Lune l'inonde d'argent,
Le parc silencieux ira s'endormant.
Les fées de la nuit reviendront lier
Au creux de votre main, ma main oubliée.

Exactement l’endroit

Exactement l’endroit
Où je rêvais d’aller avec toi.
Tu prendrais ma main
Pour suivre ce chemin.
Les bouleaux, les rochers,
Nous auraient protégés.

Du ciel d’hiver, pâle,
Tomberait ce rayon d’opale
Irradiant tes cheveux enneigés
Où mes doigts aimaient se promener.

Est-ce moi, cette femme seule
Qui, depuis que ton linceul,
Est tombé sur sa vie
Craint que tout ne soit fini ?

Exactement l’endroit
Où je n’irai pas.
Sans toi,
Ce chemin n’est plus pour moi.

Nostalgie

Souvenir de résistance

À la fureur et au bruit,
pour ramener la vie
et un peu de l'espoir enfui
il faut la poésie.

Pour faire taire les armes
et apaiser les larmes
pour ramener plus que le calme
Il faudra élever l'âme.

À toutes ces vies volées
À toutes ces mères meurtries
Il reste les fleurs flétries
De l'avenir massacré.

Mais ce pays de France
N'a pas encore tout dit ;
S'il reste un peu groggy
Il a foi et souvenance

De sa force de résistance !

Après… l’oubli

Que garderas-tu comme souvenirs
Quand loin de moi tu vas partir ?
Quelles images des jours passés
Resteront en toi ineffacées ?
Je souhaite de tout mon cœur
Que tu trouves ton bonheur.
Et même si mon image, comme les couleurs, passe
J’espère au fond de toi avoir une petite place.

Hier… Aujourd’hui

Tant et tant de gens
Ont traversé ma vie.
Tant et tant d’amis.
Tant et tant de sourires
Sont gravés en moi.
Tant et tant de rires.

Tant et tant de regards
Se perdent dans le noir.
Et peu à peu ils s’effacent
Ils cèdent leur place.
Maintenant plus qu’une personne
Dont la voix en moi résonne.
Plus qu’un seul regard en mon cœur :
TOI !
C’est toi qui m’ouvres le meilleur.

À ma sœur-choisie

Quand on s'est vues la première fois
Rien ne m'attirait vers toi !
Et pourtant !
En peu de temps, tu allais tout savoir !
Tu sais, j'aime ton regard !
Tu n'as pas besoin de parler,
Tes yeux, je sais les écouter !
Ils me disent « bonjour »
Ils m'apportent ton secours !
Il était écrit
Qu'une étoile brillerait dans ma nuit !
C'est tout simple ce qui nous a liées.
C'est tout cela l'amitié !

Ice Tea

Il était une fois une mignonne ponette et un gentil
cheval.
Elle était bien âgée, lui, fringant animal
et tous deux au pré
profitaient de la vie
sans peur et sans mal.

Du bon foin par ci, quelques carottes par-là,
des caresses et des jeux
tout ce qu'il faut pour être joyeux.
Mais le mal s'est invité,
de la mort accompagné
et l'âme de la vieille dame
soudain s'en est allée.
Juste un dernier baiser,
une belle roulade
et c'est dans les verts prés
qu'à présent elle gambade.

Ponette volontaire,
Joyeuse ou tête en l'air,
tu laisses dans nos cœurs une image attendrie,
nul doute qu'aujourd'hui tu sautes et bondis
jusques au paradis.
Amuse-toi bien gentille Ice-Tea.
Et je vais rester là
car je n'ai plus le choix
pour serrer contre moi
Ta Karine en émoi.

Févr. 2015 : Ice-Tea,
La ponette dont nous avons veillé les derniers mois

Famille

À Pytha[1]

Morgane t'a protégé
Et Merlin m'ensorcelle.
Toi, tu voyais les fées,
Moi, un jeu du soleil.

C'est un coin de
Bretagne,
Battu par les vents,
rythmé par les vagues.
Aucun hasard pour y
venir.
C'est la harpe éternelle
refusant de gémir,
Qui te guide en ces lieux
où il n'y a point d'avenir.

Je n'y vais pas vraiment
mais mon cœur y
voyage.
Il accourt chaque fois
que je franchis les âges.
Ton âme qui m'invite,
comme un tendre
présage,
me laisse entre les
doigts du sable, un
coquillage.
Et cette vague si proche
qui va, battant la plage,
Emporte à l'horizon ma
peine et son naufrage.

---

[1] Pytha, nom d'amour dont nous appelions notre arrière-grand-père. Aimant sa Bretagne natale jusqu'à y dormir pour toujours dans le vieux cimetière de St Enogat, il savait comme personne raconter la forêt et saluer « le petit peuple » comme autant d'amis. Les mystères de Brocéliande ne lui étaient pas étrangers.

Visiteur imprévu,
Tes pas sont bienvenus.
Ici, pas de grands arbres,
Ils sont tous de granit et
de marbre.
La terre est presque nue.

Ce n'est pas un jardin
mais il y a des fleurs.
La grille ne tournait plus.
Or son cri de douleur
A salué ton entrée
Semée de roses aimées,
Et de pétales pleurés.

Aïeul attentionné,
amoureux de la vie,
Devinant les sentiers de
la sylve bénie,
La forêt tant aimée, par
ta voix embellie,
Se révélait précieuse et
me laissait ravie.

Morgane t'a protégé
Et Merlin m'ensorcelle.
Toi, tu voyais les fées,
Moi, un jeu du soleil.

Bouton de rose

Regardez cette petite rose
À peine éclose !
Regardez ce petit être
Qui vient de naître !
Quelle image de bonheur,
De paix et de douceur !
Quand on la voit si fragile
Les drames de la ville
Peu à peu s’effacent
Pour mieux donner leur place,
Pour mieux laisser entrer
Une petite fille à aimer !
Arrêtez tous les bruits !
Étouffez tous ces cris !

C'est tellement beau
Un ange dans son berceau !
Pour ceux qui lui ressemblent
Chantons fort,
Tous ensemble,
Un chant de joie et de paix
Qui retentira à jamais !

Ode d'une marraine
pour le baptême de sa filleule

Bienvenue

À toute volée
Les cloches sonnent
Pour annoncer au monde entier
Cette nouvelle
Belle et bonne :
Tu es enfin arrivée !
Petite fille douce et mignonne,
Notre cœur s'ouvre et te donne
Tout l'amour et l'amitié
Qui te sont d'emblée réservés.

Tendre étoile au firmament,
Mussée tout contre Maman,
Tu tentes ton charme sur Papa :
Et ça marche ! N'en doute pas !
Petite fille douce et mignonne
À toi je viens dire
Qu'aujourd'hui à ton sourire
Les cloches sonnent, et sonnent sonnent !

Amour

Les fiancés

Regardez-les comme ils s'aiment !
Regardez-les comme c'est beau !
Regardez le ciel comme il est bleu !
Il fête et célèbre ces amoureux !
Regardez l'hirondelle
Qui va partir à tire d'ailes !
Elle vient semer en leurs cœurs
Un champ de bonheur !
Alors le monde doit s'arrêter
Pour les laisser s'aimer.

Septembre 1983 :
fiançailles de ma sœur chérie

Frissons du cœur

S'approcher sur la pointe des pieds
pour ne pas se heurter
Se frôler pour s'apprécier
Avant, du cœur, l'envolée.

C'est un frisson, comme un parfum,
C'est indicible et fait du bien.
Le cœur qui tremble
Et courra l'amble
Avec le sien
main dans la main.

Les yeux qui frisent
Et, quoi qu'on dise,
le charme opère.

… Laissons-le faire !

Les fiançailles enchantées

10 ans déjà !
Comme le temps passe !
La robe blanche et l'anneau d'or…
La robe blanche se fane un peu
Mais l'anneau d'or reste le feu
De l'envie et de l'amour heureux.[2]

10 ans déjà !
D'abord à 2 puis à 3
Un jour cela devient 60 !
C'est la vie qui chante !
Rien n'est fini !
Un bout de chemin accompli !

---

[2] Extrait d'un poème de Henri Couderc.

Chaque pierre sertie
annonce un rêve joli.
Ces petits bouts d'étoiles oubliés,
tendrement d'or emmitouflés,
marquent le chemin des fiancés
tout de scintillements pavé.

Bon Anniversaire !

Pour les 10 ans d'une joaillerie

Nocturne

Viens donne-moi ta tête blanche
Que je vole encore un baiser.
Et si ma main soudain s'épanche,
Tu sais qu'elle peut tout oser.

La lampe éclaire ton chevet
Mais elle est aussi la complice
De l'amoureuse trop réservée,
Faisant l'ombre plus tentatrice.

Ne touche pas la lumière,
Puisqu'elle est de ton côté,
Qu'une caresse primesautière
Fasse du Printemps un Été !

Sur mon cœur que ta tête blanche
S'abandonne après mon baiser.
Si ma main s'arrête et flanche
C'est qu'elle a peur de tout oser.

Que mon Papy me pardonne d'avoir emprunté quelques-uns de ses vers. Lui chantait la douce blondeur de son aimée.

Ton retour

La nuit s’avance,
Le soir descend,
C’est le bonheur qui danse
Quand je t’attends.

Demain fêter une joie nouvelle
Tu seras là, auprès de moi.
Chantera cette journée si belle
Qui, vers le soir, nous réunira.

Mais plus d’attente qui m’enlise,
Il y a ces pas que j’entends.
Et mon cœur bondit de surprise :
Tu es venu dès maintenant.

Et puis la nuit se lasse,
Et puis la Lune s’enfuit.
Lorsque tes bras m’enlacent,
Ils enchantent ma vie.

Ton passe-temps

Être ton passe-temps ?
Juste cela, vraiment ?

N'as-tu rien à offrir
À celle qui tellement te désire ?
Quelques heures échappées,
Volées à ton temps découpé ?

Non !
Ce qu'elle veut c'est TOI !
Voix, regards, cœur en émoi !
Toi tout entier !
Impossible de te marchander !

Tout comme elle s'offre à ta folie,
Tu habiteras ses rêves enfouis !
Ou sinon rien !
Passe ton chemin !

Mais si tu la laisses entrer
À pas doux et feutrés,
Si pour elle tes bras sont grands ouverts,
Tu seras son roi de l'univers.

L'aventure se tente,
Elle en sera enivrante
Et tendrement folle
Si tes peurs soudain s'envolent.

Tu as su la charmer
Alors… Ose donc l'aimer !

La pleine heure

Ces petits moments d'éternité
À tes lèvres juste goûtés
Emplissent joyeusement mon cœur
Pour attendre la pleine heure
De nos câlins retrouvés,
De nos baisers enivrés.

En cet instant pour toi et moi,
Je me fais dentelles et soie
Ou bien velours et satin
À l'impatience de ta main.
Envolés les doutes, les chagrins !
Je te garde jusqu'à demain !

Mais déjà tu dois partir
Et me priver de ton sourire.
Mon cœur est alors suspendu
À l'horloge du temps perdu.
Ne reste plus que le souvenir
De nos caresses, de nos désirs.

La manne qui me nourrit
c’est ta voix qui, soudain, rit !
C’est ton amour qui m’appelle,
C’est ton prénom qui m’ensorcelle !
C’est ta fougue d’être aimant
Qui fait de toi mon tendre amant.

L’Amour s’est endormi

Douce Énergie
pour qui le soleil luit.
Énergie pure
Dont la voix se murmure.
Énergie du cœur
Frisson du bonheur.
Énergie du jour
Qui ouvre l’amour.
Énergie de nuit…

L’Amour s’est enfui.

Il n’ose plus se montrer
Il est allé se cacher !
Il était offert
Mais a cru en l’Hiver.
Il est tout gelé
Refuse d’être bercé.

Douce Énergie
pour qui le soleil luit.
Énergie pure
Dont la voix se murmure.
Énergie du cœur
Frisson du bonheur.
Énergie du jour
Qui ouvre l'amour.
Énergie de nuit…

L'Amour s'est endormi.

Pleine d’absence

Ton rire avait ma préférence,
Et ta joie était mon essence.

Aujourd’hui, c’est le silence.
Il ne me reste que ton absence.

Mon cœur est plein de ta présence.
Mes pas sont vides de notre danse.

Mes yeux recherchent ta présence.
Mes bras ne serrent que ton absence.

Mon rire se fige sans ta présence
Et mon âme pleure son espérance.

Le ciel est flou sous la pluie dense.
Ma vie est pleine de ton absence.

La pudeur du clown

Son maquillage peu à peu a coulé,
Son nez est rouge d'autre chose.
Son sourire ne peut plus amuser.
Le clown, de pleurer, n'ose.

Glisse alors son chapeau ridicule
Et, maintenant qu'il recule,
Ses chaussures démesurées
Le font soudain vaciller.

Son reflet dans le miroir
Relance son désespoir.
Le public est un trou noir.
Il n'entre pas en scène ce soir.

Le rideau devient refuge
Et la sciure fait un tapis.
Ici personne ne juge
Car chacun sait pourquoi il prie.

Le dernier baiser

Pourquoi vas-tu t'enfuir ?
Ne pouvais-tu rester ?
N'as-tu rien à offrir
que l'adieu d'un dernier baiser ?

Moi je le voulais premier !
Le mille fois premier !
Encore un à donner
Et un autre à voler…
Encore encore encore…

D'un dernier battement
Mon cœur s'est arrêté.
Il me fait mal pourtant !
Si mal, à en hurler !

Sais-tu que je suis là
Ma tête sur ton bras,
Et mes larmes sur ta main
Si sage, qu'elle ne sent rien ?

Ton regard s’est éteint
Et ton rire s’est enfui.
Je n’ai plus de chemin
Car tu n’as plus de vie.

À Clair de toi

Du sourire de ta voix
Au rire de ta joie
Je voyais mes pas
qui menaient vers toi.
À Clair de Soleil tu t'en es allé
À Clair de Brume
Mon cœur a sombré
Du bleu de tes yeux
me manquera l'éclat
À mon cœur malheureux
Il manquera tes bras.
À Clair de Soleil tu t'en es allé
À Clair de Brume
Mon cœur a sombré
Je vais rester dehors
Car je n'ai plus le choix
Et je vais serrer fort
Tes petits contre moi.
À Clair de Soleil tu t'en es allé
À Clair de Brume
Mon cœur a sombré

Table des matières

Imprimé en Allemagne
Achevé d'imprimer en avril 2022
Dépôt légal : avril 2022

Pour

Le Lys Bleu Éditions
40, rue du Louvre
75001 Paris